BEAIRTLE

LEIS AN ÚDAR CÉANNA

Gearrscéalta
Tinte Sionnaigh
(Cló Chonamara 1985)

Filíocht
Soilse ar na Dumhchannaí
(Taibhse 1985)

SEÁN Ó CURRAOIN

BEAIRTLE

Cló Iar-Chonnachta
Eanach Mheáin
Béal an Daingin
Conamara
Co. na Gaillimhe

An Chéad Chló 1985
© Seán Ó Curraoin

Clúdach agus Léaráidí:
Mairéad Ní Nuadháin

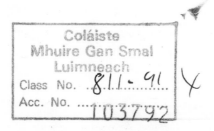

Gach ceart ar cosnamh. Ní ceadmhach aon chuid den fhoilseachán seo a atáirgeadh, a chur i gcomhad athfhála, ná a tharchur ar aon mhodh ná slí, bíodh sin leictreonach, meicniúil, bunaithe ar fhótachóipeáil, ar thaifeadadh nó eile, gan cead a fháil roimh ré ón údar.

Clódóirí Lurgan Tta., Indreabhán, Co. na Gaillimhe.

do
Mhuintir Chois Fharraige

I

Cé hé Beairtle?
Gnáthdhuine ó mhaolchnoic Chois Fharraige . . .
A thugann aire do chaoirigh
A ghearrann turnapaí agus meaingeals do bheithígh
A shaothraíonn an talamh
A bhlíonn an bhó
A bhaineann féar is móin
A ramhraíonn muca
A thógann cearca
A mbíonn imní cnúdáin air . . .
Tá bualtrach ar a bhróga
Is boladh allais ar a chuid éadaigh
Is anáil na n-ainmhithe a mbíonn sé ag plé leo.
Tá an tséimhe imithe as a ghuth is labhraíonn sé staccato.
Duine géar crua atá faoi léigear na haimsire é.
Dún mór daingean nach féidir a éigniú . . .
Seasann sé go storrúil ag tabhairt dúshlán na haoise is an ama.
Fear curtha an chatha . . .
Ní cás leis an caoinbhéas ná mistéar na beatha.
Foinse na filíochta é
Is salann an tsaoil.
Baumstamm dúshánach,
Carcair ghiúsaí i dtalamh sléibhe . . .
Cén chaoi bhfuil tú *ould stock*?

II

Chugainn Beairtle
Tríd an mbóithrín cam, driseach, sceachach
Agus é ag déanamh an Earraigh.
Tá faobhar ar a láí
Agus é ag réabadh an dorais dhúnta
Atá ar bhruíon dhorcha na cré . . .

Plucs dearga,
Cnámha urrúnta,
Ceanneasnach,
Caipíneach . . .
Lámha móra fáirbreacha,
A' tiomáint roimhe,
Ag cur an taobh dearg den fhód in uachtar.
Anois is arís é ag feadaíl go ríméadach
Mar tá rithimí móra ann —
Ceol an domhain
Is an dúlra dhamhsaigh.
An fhuil bhorb ag rith trína chuisleanna
Is an díocas tréan chun saothair air.
Eisean Rí an Domhnaigh.
As bácús na húire
Tá an chréafóg dá cácáil . . .
Ní fada anois go mbeidh iomaire rómhartha aige.
Gaoth bhog ar a leicne,
Allas ar a mhalaí,
Misneach ina chroí,
Bainfidh sé ceol as na diomalachaí.

Drochbhliain a bhí inti, cinnte . . .
Loic na barraí.
Níor thriomaigh an mhóin ach an oiread le rud.
Cheannaigh Beairtle cóta dufail
Leis an gcruatan a sheasamh.
Inniu níl aon mhóin ar an teallach
Is tá Beairtle amuigh ar na creaga
Ag alpadh an aeir fholláin . . .
Gail ag éirí óna chuid *wellingtons*
Mar tá an taise ag dul go craiceann.
Baineann sé fionntarnach
Is cuireann i mála le leapachaí a dhéanamh.
Tá mada caorach lena chois
Ag smúracht roimhe is ag dúiseacht an ghiorria as a leaba dhearg,
An filibín, an naosc is na feadógaí freisin.
Ní thiocfaidh an féar gortach air ná an fóidín meara
Is ní bhfaighidh an slua sí aon bhrabach air.
Glacann sé sos ag Cloch na Scíthe
Sa gclais ghainimh ar Bhóthar Pheaidí
Le hais na saileach mar a dtéann
An lacha fhiáin ar an bhfoscadh ó fhíoch an gheimhridh.
Anseo dó cheana fadó ag tíocht ó theach a mhuintire i Seana
      Fhraochóg,
A fuair sé a achainí.
É tuirseach traochta . . .
Bhí cosamar bia fágtha ina mhála . . .
"Nach é an trua" ar seisean
Agus é dá chaitheamh uaidh
"Nach mbeadh éanlaith ann lena ithe"
Leis sin tagann ál lachain fhiáine
Amach ón gclais ghainimh chuige.
Bhí uair na hachainí ann cinnte.
Tugadh toradh ar an nguibhe
Sin é Beairtle . . .
Dá dtitfeadh sé síos i bpoll báite
Thiocfadh sé aníos le barra seacláide.

Ní bhíodh an ghrian airde fir as talamh
Nuair a bhíodh Beairtle a' treabhadh na farraige
I gcurach canbháis ó láimh an tsaoir
A Mhac Pádraig amuigh ina theannta.
Nuair a d'éiríodh an liamhán ceann ar aghaidh aníos . . .
"Anois agus ní riamh" a deireadh Beairtle
"Mac Dé a' cuideachan le mo chiotóg dhíreach".
Chaitheadh sé an tsleá is chuireadh cruinn i bpoll na fola í.
Ansin a bhíodh an liamhán in achar an anama
A chuid fola dá dhóirteadh ar fud na farraige.
Bhíodh Pádraig ar garda, ar eagla na heagla
Tua ina láimh le dhul a' gearradh na téide.
Bhí an liamhán san fhaopach
A chuid fola caillte.
Bhí sé sínte marbh sa mborbsháile.
Anois agus ní riamh ba le Beairtle an báire.
Mar sin a ghnídís cruachan i aghaidh na hanachaine
Le greim a mbéil a fháil ón bhfarraige
Beairtle is a mhac ina theannta.

13

V

Tá sé deacair Beairtle a thuiscint na laethanta seo.
Arnú déarfaidh daoine leat gurb shin cuide den chluiche . . .
Cluiche na beatha.
Tá a bhealach féin le Beairtle freisin —
Gan aon soiléiriú a dhéanamh ar rud:
Bhfuil fhos a'd
A' dtuigeann tú
Ná ceap anois a' bhfuil fhios a'd
An dtuigeann tú anois an rud atá mé a' rá
B'fhéidir is ní móide; ná habair tada;
Caint gan substaint, ag cur na gcaoirigh thar an abhainn;
Beairtle glic; Beairtle an-ghlic . . .
Níl mórán brabach le fáil air.
Deireann sé ansin nach dtuigeann daoine é,
Gur duine ar leith é ach is furasta
An méid sin a thuiscint, nach gceapann tú?
Agus bíonn rud eicínt nó duine eicínt i gcónaí ag cur as dó freisin
    mar dhea . . .
"An diabhal sin! an conús sin!

Nár chuire Dia an t-ádh ar an bhfeithideach gránna!"
Murab é seo é is é siúd é,
Murab é an boss é is í a bhean í,
Murab iad na comharsanaí iad is iad na strainséaraí iad.
Is deacair é a phléasáil tá mé 'rá leat.
Beairtle beartach!

14

Chuile Dhomhnach i ndiaidh an Aifrinn
Bíonn Beairtle taobh amuigh den séipéal
Leis na buachaillí ag faire.
Gróigthe faoi ag an sconsa
Ar nós duine a mbeadh fios fátha an aonscéil uaidh.
É ar thóir nuaíochta is eolais, ar ndóigh,
"Tá trí leagan ar scéal is dhá leagan déag ar amhrán" a deireann sé.
Bailíonn an slua ina thimpeall
Mar bíonn scéal chailleach an uafáis aige go hiondúil
Le go n-éistfidh daoine lena chuid siollaí gaoise.
"Tá Tóikió bombáilte ó aréir" ar seisean uair amháin
Is d'oscail a mbéil le hiontas.
Chreid siad chuile fhocal dhe.
Dá n-inseodh sé an fhírinne ní chreidfidís leath chomh maith é.
Sin iad na daoine —
Is tuigeann Beairtle a gcuid smaointe.

VII

Ní bhíonn aon chluiche nach mbíonn Beairtle istigh ina lár
Ag caint is ag comhrá is ag cur an imeartha trína chéile.
Bíonn píopaí dá líonadh is dá lasadh
Is deatach ag éirí in airde . . .
"Anois, a bhuachaillí" a deireann Beairtle
Is tosaíonn siad orthu,
Gach duine chomh dáiríreach,
Flip fleaip na gcártaí ar an gclár,
Faire amach do cheilt nó don chíonán
nó don uain ar urla
le cúig a thógáil.
Bíonn Beairtle ag gnúsacht
Nuair nach mbíonn sé ag gnóthachtáil.
"Clúmhach" mar bhúithreach tairbh
A fhuagraíonn sé nuair is leis féin
Agus a chomrádaí an cluiche.
Buaileann sé an cuaille comhraic
le buille de phaltóig ar an mbord
A chraitheann na plátaí ar an drisiúr . . .
Ansin craitheann sé lámha lena pháirtithe
Agus scairteann ina sheanbhéic:
"Togha fir" a chomrádaí;
"D'imir tú an rí go deas an uair sin".
Maireann an sioscadh tamall eile
Is bíonn an imirt thart . . .
Buachaill é Beairtle.

16

VIII

"Fág seo amach ag damhsa" deireann Beairtle
Le Iníon Cheann an Bhóthair.
É chomh teann as féin
Ag ceapadh go mba cheart comaoin a chur air
Is déanamh mar a deireann sé nó fios cén fáth.
Bhíodh na Beairtlíochaí ar fad ag iarraidh a gcomhairle féin —
Gasra teann i mbun a gcúraim . . .
Ní chuireann Iníon Cheann an Bhóthair aon suim sa gcaint
Mar tá sí spóirtiúil, géimiúil,
Ach a ceann a chraitheadh ag rá:
"A bheith ag damhsa leatsa, tá sé ar nós asal a bhrú amach as poll
    portaigh.
Ní dhéanfadh an saol capall rása d'asal".
"Fág seo amach ag damhsa" deireann Beairtle le gach cailín a
    thagann an bealach
Ach deamhan aird a thugann siad air . . .
Mar níl ann ach súgán ceart anocht.

IX

"Caithfidh mé dul chuig na Rástaí", deireann Beairtle . . .
"Is béic is liú a ligean i mBaile Bhriota
Scaoil amach é!
Is áit a fháil ar an ardán
Is airgead a chur ar an *tote* is leis na geallghlacadóirí
Mar ní bheadh aon Samhradh ann gan iad".
Cén capall a ghnóthóidh an Plate?
Seo í rogha na coitiantachta . . .
"Deireann daoine gurb í *Charles Edward*
a bhuafas an *Galway Plate*".
Bíonn ana bhreá ann i gcónaí leis na Rástaí
Mar bheadh an ghrian ag beannú do na sluaite a thagann ann,
Is do na sluaite a thagadh,
Is do na claíocha beaga,
A thóg fir fhéitheacha,
Is go bhfuil fear inste scéil ar an bhfód go fóill,
Mar bheadh briste faoi dheireadh ar na geasa,
Is mar bheadh an smúit is an duifean ag ardú leis os cionn na
  Gaillimhe.
"Caithfidh mé dul chuig na Rástaí leis an gcraic a bheith agam" a
  deir Beairtle . . .
'Go bhfeicfidh mé na *Maggies* is fear na dtrí chártaí,
Is fear na méaracán is *style* na mban,
Go gcuirfidh mé airgead ar *Charles Edward*,
Go bhfeicfidh mé an t-aicsean,
Go bhfeicfidh mé an dream óg,
'*Putting on the agony, putting on the style*',
Go bhfeicfidh mé daoine ag gáire arís.''

19

Beairtle — tá sé i mBleá Cliath le tamall
Mar níl aon obair sa mbaile.
Tá lóistín maith anois aige
Is neart comhluadair.
"Is é an craiceann opium an lucht oibre" deireann sé,
Is tuirsíonn sé muid ag cur síos ar na mná breátha a casadh dó.
Tá ola ina chuid gruaige is boladh breá ola óna éadan glanbhearrtha
Monsieur de Nice a cheannaigh sé i Guggi's i bPáras.
"Mná Mhín a'Chladaigh" ar seisean
"Tá an iomarca meas acu orthu féin
Is mná Chonamara ná habair tada leo".
Tá sé ag ligean an oiread scileach air féin is ag déanamh gaisce.
Níl fhios ag aon duine tada ach aige féin.
Coinníonn sé air ag nathaíocht sa lóistín
Mar tá sé leáite anocht
Tar éis a bheith amuigh ar na sráideanna . . .
Bíonn sé míbhéasach agus míchéatach nuair a bhíonn a dhóthain ar
    bord aige.
"Ní mórán é" a dúirt sé faoi dhuine áirithe,
Is é ina sheasamh ar nós eileafant mór i lár an urláir
Is muid ar fad scanraithe roimhe.
A chomhairle féin do Mhac Anna
Is ní bhfuair sé riamh níos measa.

Bíonn drochstiúir ar Bheairtle sa mbaile mór.
An Garlach Coileánach ar thóir an óir . . .
"Bím ag breathnú siar trí pholl an chlaidhe" a deireann sé.
Séard a bhíodh sé a dhéanamh sa mbaile —
Ag breathnú amach trí pholl an chlaidhe ar dhaoine.
Is diabhlaí an mac é!
Is iontach an ceann é!
Céard a cheapann tú?
Níor chaill sé riamh é!
"'Tuige a ndeachaigh tú soir mar sin
Mura dtaitníonn an áit thoir leat
Nuair a bhí tú thiar ní raibh tú sásta ansin ach an oiread?"
"Mé bheith dána" deir sé.
"Níl mé in ann tóin ná ceann a dhéanamh den áit . . .
Nach cuma thoir nó thiar é . . .
Is mara chéile muid . . .
Céard a bhaineann sé leatsa," ar seisean . . .
Caillte le fada sa saol
Agus dá chruachan in aghaidh an lae,
Beidh sé athraithe go huile idir tú agus mé.
Bloc fuar coincréit sa gCoincréit Kunst,
Ag fónamh do bhodaigh is don *Popular Front.*
Is mór a deir tú idir an lá inné agus an lá inniu.

XII

Ag dul síos Sráid Ghrafton . . .
Bíonn nósanna áirithe is coinbhinsiúin le cloí leo.
Casfaidh tú le daoine, go leor leor daoine
Ag dul síos agus suas agus suas agus síos.
Cheapfá amanta go bhfuil spota áirithe thuas ag barr na sráide
Agus b'fhéidir go bhfuil
Ag stórtha *Dunne*, abair, áit a gcasann chuile dhuine ar ais arís ar an
turas deasghnáthach.
Is paidreoireacht ar bhealach é seo
Siúl síos is suas Sráid Ghrafton.
Cuirfidh tú díot do chuid peiríocha.
Is teiripe do na néaróga é . . .
Ní gá dul go Teach na nGealt . . .
Sin é an leigheas . . .
Tá daoine go barrúil
Is tá Beairtle barrúil freisin.
Leigheasann an tSráid a chuid fiabhrais . . .
Coisméigeacha fada aige
Ag dul ar aghaidh de thruslóga
Ar nós liopard.
Boladh allais air is gruaig stuithneach le Stíl Afracach
"Is maith liom tú Sr. Ghrafton," ar seisean.
"Táim i measc mo mhuintire arís,
They means no hate".
Craitheann corrdhuine a cheann air.
Ní féidir a bheith ró-lúcháireach ina measc
Mar tá siad ar fad ag tochras ar a gceirtlín féin . . .
Ach bíodh an diabhal acu!
Handsome Beairtle,
Ah well, God bless him all road ever he offended . . .

XIII

Beairtle ag éirí mór ann féin!
Deir daoine go bhfuil
An baile mór ag dul sa choiricín aige.
É sásta anois sailchuacha Afracacha agus *gladioli*
A cheannach dá chairde ag na bláthsheastáin i Sráid Ghrafton.
"Tá siad ar fad dá dhéanamh" a deir sé.
"Nuair a thuirsíonn duine de Bhleá Cliath
Tuirsíonn sé den saol" . . .
Ní thuigim a chanúint ach tuigim dó:
An fear a rugadh faoin mbuachallán is faoin bhfearbán . . .
Fairplay dó; Sound man Beairtle!
Éiríonn sé fadbhreathnaitheach is *cosmopolitan*
In aghaidh an lae.
Ólann caifé i mBewleys ag a dó.
Cultúr a mhic Ó!
Suibhne! Suibhne Mac Colmáin!
Cén uair a leigheasfar a bhrón?
Ag bháinneáil is ag foluain ar fud na cathrach,
Ag éamh go hárd is ag imeacht le craobhacha,
Ag imeacht ar lampaí is leota dá theanga amuigh aige.
"Gealt mise" ar seisean le Beairtle
Is caitheann Saltair líneach lánálainn an Chomhphobail leis.
Is fearr le Suibhne thuas san aer
Ach fanann Beairtle ar an talamh ar nós gach mada.
Anois agat é! Sr. Ghrafton . . .
Ceannaíonn fleasc bláthanna is bronnann ar mhná na hoifige é
Nuair a éiríonn eatarthu . . .
Beairtle múirneach. Beairtle I hardly knew you!

XIV

Is beag scáthán a dtéadh sé thairis
Nach mbreathnaíodh sé isteach ann
Go bhfeicfeadh sé cén chaoi a raibh
Mar níl meas ar bith fanta aige air féin.
Is é Beairtle Narcissus na mBanlieus:
"An bhfeileann feisteas seo dom?
An bhfuil sé sin ceart go leor?
An bhfuil mé ag breathnú go deas?"
"Ó is mór an spórt thú" a deireann a chomrádaí . . .
Is bíonn sé ag breathnú is ag breathnú
Is ag breathnú air féin
I gcaitheamh na faide.
Shílfeá gurb é an chaoi ar éalaigh sé ón *Titanic*
Is gléas ban air
Is nach bhfuil fhios aige fós gur fear é.
Beairtle na mBanlieus . . .

"Bhfeiceann tú an bhreathnú atá uirthi.
Tá sí craiceáilte i mo dhiaidh.
Níl splanc ar bith fágtha inti"
A deir Beairtle istigh sa gClub.
Bíonn Beairtle ag ceapadh go bhfuil chuile bhean
Splanctha ina dhiaidh.
Má bheannaíonn cailín dó
Nó má labhraíonn sí leis
Ceapann sé go bhfuil aige.
Ach sílim go bhfuil faighte amach aige anois
Nach mar síltear bítear
Is go bhféadfá a bheith ag ceapadh go leor rudaí
Ach gurb shin a bheadh ann,
Mar sin é a bhfuil ann i gcás Bheairtle.
Ach bhí sé ar an tseanealaín arís an lá cheana,
"Tá iníon Pheait Phádraig craiceáilte i mo dhiaidh"
"Is má tá — cáil sí?" a dúirt a chomrádaí.
Bhí cluasa te ag Beairtle uaidh sin amach.

Bhfeiceann sibh é
Ina shuí ar an sconsa
I bhFaiche Stiabhna,
Ag faire, más breá leat é,
Ar chuile bhean
Atá ag dul thar bráid . . .
Ag feadaíl ina ndiaidh ansin
Nó ag ligean corrscread mhímhúinte as féin
Nuair atá siad imithe, dar ndóigh!
Bíonn Beairtle ag cur na súile tríothu
Mar is maith leis a bheith ag breathnú ar mhná.
Agus tá siad ann . . .
Ag teacht amach as oifigí is foirgnimh . . .
Mná as chuile cheaird d'Éirinn.
"Tar éis a bhfuil de mhná i mBleá Cliath
Ní bhfuair sé aon bhean fós
Níl sé de rath air . . .
Bailigh leat as m'amharc" a deireann a chomrádaí leis:
"Níl aon chuma ort"
Tá Beairtle cúthal . . .
Sin é an chaoi a bhfuil sé!

Tá cuma an Bhleaic an Teain air leis an muisteais sin.
"Bain díot í sin, a shaighdiúir dhearg, a dhiabhail."
Ní thabharfaidh sé freagra ceart ort
Nuair a chuireann tú ceist air
Ach a bhéal i gcónaí lán *chewing gum*.
An saol nua-aosach, a mhac!
The angry young man!
An déraciné!
Is le gairid a thosaigh sé ar an ealaín seo . . .
Ag iarraidh a bheith sa bhfaisean . . .
Agus ceapann sé freisin
Gur cheart dó a bheith i gcónaí ag déanamh deifir
Go bhfuil an saol ag imeacht i ngan fhios dó
Is nach bhfuil sé in ann coinneáil suas leis.
An lá cheana leaindeáil sé istigh i lár an urláir . . .
Nár chlis na coscáin air!
Dá n-imeodh sé réir a láimhe
D'éireodh chomh maith céanna leis déarfainn . . .

XVIII

Tá na billeogaí a' titim arís, a Bheairtle,
Is tá tú thuas ar Chnocán Findlater.
Is iontach an fear cnocáin tú.
Nuair a cheapann duine go bhfuil mianach mór ann is fuil na bua
    seasann sé ar chnocáin go bhfeicfear é, is dóigh.
An Gairdín Cuimhneacháin os do chomhair;
Ó Conaill is Parnell breá amach romhat;
Na sluaite dod thuargan ar na sráideanna;
Mollie Malone ag dul thart lena cuid faochain, a cheabhcais!
Fág a' bealach!
Shíl mé gur as an mbruíon a tháinig tú,
Mar bheifeá i ngreim ag na daoine maithe,
Mar tá solas ar do bhaithis,
Mar bheadh aisling agat nó fís:
'Nirgends from the Nihil found the Nile'.
An ea?
Mínigh sin dom nó inis seo dom:
"Cén ríshliocht dhár díobh thú sna hAnnála?"
Tá faisin nua-aoiseacha agat;
Itheann tú ceibeabanna is ólann tú i Lord Jims.
Níl fhios agam an bhfuil ionat ach codaí théis an tsaoil.
Ní mar síltear bítear; b'fhéidir agus ní móide —
Tá Jimí imí; Tá Beairtle barley, arsa tusa
Bhfeiceann sibh anois é ag dul suas Sr. Uí Chonaill . . .
Tá cuide de ghaisce na Cásca le sonrú air.
Go réidh anois, a Bheairtle, tá mé ar do thaobh.
Feicim arís tinte is lasracha
Is na gunnaí móra ag tafann.
"An áit nach bhfuil léargas
Cailltear na daoine" deir tú.

29

Nuair a tháinig an Samhradh,
Away le Beairtle go Páras.
'A Paris, A Paris, sur mon petit cheval bris' mar deir an t-amhrán.
Cultúr agus intleachtúlacht na Fraince, a mhic ó!
Is fealsúnacht na réabhlóide: enfant de la patrie . . .
Tá sé de shíor ar thóir na Fírinne:
'La vérite est au fond de la puits' deir sé
Agus ligeann féasóg leicinn air féin le bheith sa bhfaisean.
Cónaíonn sé sa Quartier Latin
Is tosaíonn a' léamh Robbe Grillet is Camus.
Bíonn daoine ag tabhairt suntais dó ar na sráideanna
Mar tá sé chomh mór is chomh feiceálach, Beairtle sea'ainne.
Cnámha móra is géill mhóra . . .
(Bhíodh nurseannaí ag teastáil i gcónaí óna Beairtlíochaí nuair a
    bheirtí iad)
Éist! tá daoine ag caint!
Qui c'est?
C'est un gauchist?
Il s'appelle Beairtle.
Il est irlandais.
Tá gach saghas nath ar bharr a theanga.
Elle n'est pas mal cette fille . . .
See you later alligator!
You'd better come home, speedy Gonzalez!

XX

Tír chostasach í an Fhrainc.
Tír style is mode moderne:
Chanel, Guggi agus Dior.
Nuair a tháinig Beairtle abhaile aisti
Bhí sé lán bonhomie
Is ag iarraidh a bheith sa bhfaisean.
Ní raibh seó ar bith ach an méid éadaigh a cheannaíodh sé . . .
Tá sé an-mhór le Muadhán
— Saineolaí ar éadaí —
Tá Sr. Ghrafton saibhsithe go maith anois aige.
Tá *wardrobe* mór aige . . .
Is caitheann sé léine is carabhat in aghaidh an lae
Is bíonn sé ag dul thart chomh snasáilte . . .
Is fada uaidh an réabhlóid.

"Bain díot na giobail sin" a deireann sé
Fiú lena chairde groí.
Is bíonn stumpa de thodóg ag gobadh amach as a bhéal.
Gluaisteáin Fhrancacha ar fad a thiomáineann sé.
Ólann sé sa mBurlington.
"Tá muid san Eoraip anois, a mhac!"

XXI

A Bheairtle na gCarad
Grá mo chroí go deo thú.
Cuirfidh mé do theastas leat
Amach ar fud Chrích Fódhla.
Mar a mheall tú maighre an bhrollaigh bháin
Le do chomhrá is le do bhladaireacht
Agus dúshlán Feara Éireann
Gur bréag atá mé a rá.

Chonaic mé tráth é
Is léine gheal bhreá air
Is carabhat gléigeal
Is casóg mhór déanta
Is cóta bán bearskin
Is bríste sa bhfaisean
É ag screadach is ag béiciúch
Is ag rith i ndiaidh mná
'Is bhí céad bean i ngrá leis ag Aonach Mhám Éan.'

Ach tá searc is grá ag mnaoi dó
Is lean sí tríd an snámh é.
Gruagach gan aon tsnáithe air
A bhfuil mil is tím ar a phóg . . .
An Briartach mór go deo!
Bhí céad is fiche maighdean aige in iargúil Mhaigh Eo
Mar tá an ball seirce ag Beairtle.

Ach fuair sé rogha ban Éireann
Lena bhladaireacht is lena bhréaga
Is tá gaisce aige as an méid sin
Nach mbeidh deireadh léi go deo . . .
Mar is í Marilyn Monroe í.
Is í Mae West ar bóthar í.
Is í Bo Derek Óg í . . .
Togha fir é Beairtle.

XXII

Tháinig Neil i bhfad ó bhaile . . .
Tráthnóntaí breátha Samhraidh
Mheileadh Beairtle an t-am dúinn
A'bháinneáil thíos le farraige
A'válcaeireacht le Neil.
Bhíodh muid féin chomh dána go dtugadh muid faoi deara é
Is leanadh síos go trá é.
Le hiomarca den aithne
Ní ligeadh muid as a n-amharc é
Is le méid ár gcuid tarcaisne
De bharr a bheith nós tarbh linn
Cheapamar gur gharbh dó
Is nárbh ann dá acmhainn grá.
Ach chuir sé ionadh is alltacht orainn
Is chonaiceamar an t-ábhar . . .
Is b'shiúd é i ngreim láimhe
Á cuachadh is á fáscadh
Soir is anoir an trá . . .
A' breathnú uirthi chomh grámhar.
Neil agus an chaoi a mbreathnaíodh sí air
Is d'fhéachadh amach ar an bhfarraige
Ag brionglóidí faoin am le theacht
Is iad ag caint chomh stuama staidéarach.
Tráthnóna amach san Earrach is iad ar thob a chéile a phógadh
D'aithin siad muid láithreach.
"Torm do phóg" a deir Beairtle le Neil . . .
"Foighid ort go fóill go ndoirtfidh muid soir"

35

XXIII

Chuaigh Beairtle siar is aniar ní thiocfaidh.
Chuaigh Beairtle siar ar mhí na meala.
I Fiesta mór le cheithre dhoras
Is Neil, a bhean, lena ais ag faire.

Ar Bhóthar Chamais fuair sé tiaráil
Is ar Bhóthar Ros Muc bhí cnoic is eascaí.
Ar Bhóthar na Scrathachaí polladh na boinn
Is sciorr an Fiesta isteach sa gclaise.

Tharla seo i lár na hoíche
Is bhí job ag Beairtle na boinn a dheasú.
An Chomhairle Contae is an Bardas Buí
Bhí Beairtle á ndíbliú is á ngearradh
Faoin drochstaid is faoin droch-chaoi
Atá de shíor ar Bhóithre Chonamara.

Chuaigh Beairtle siar is aniar ní thiocfaidh
Mar thiar sa Droim a tharla an tragóid.
Thit an tóin as an Fiesta groí
Is fágadh Beairtle ar fhleasc a dhroma.
Chuaigh Beairtle siar is aniar ní thiocfaidh.
Mar tá poll is míle ar chuile bhealach.
Tá Bóthar an Rí, gach slí is rian
Ina gcriathar fíor le logáin is sclaigeanna.

Tá an ghlaschloch ag silt (na ndeor) . . .
Tá brionglán nódaithe ar Bheairtle faoi dheireadh.
"Fuair sé *purchase*" deireann Micil.
Leadógaí na Bántruinne cé phósfadh iad!
"Ara tá sí sách maith aige" deireann Tom.
"Céard a theastaíonn uaidh ar aon chaoi?
Lady Aberdeen eile?
Tá sí sách maith aige.
Stiall cam air le caoi a bheith air!
Nach deacair é a shásamh!"
Agus nuair a phósadar
Cheapfá nár phós aon duine eile riamh ach iad . . .
Mar phósadar sa Róimh!
How romantic!
Glic go maith; shábháileadar airgead freisin ar an gcaoi sin!
Is thugadar ainmneacha ardnósacha ar na gasúir
Nár bhain leis an treibh . . .
Up an baile sea'ainne!
Lovely hurling!

Anois níl sé ag oibriú . . .
"Ara tá sí sách maith aige
Céard a cheapann sé ar aon nós . . .
Go n-umhlódh chuile dhuine síos go talamh dhó — piar mór . . ."

Tá an lá sin imithe.
Tá an ghlaschloch ag caoineadh.
Tá tine fadaithe fúithi.
Tá sí ag scoilteadh.
Bhí gach rud ceart go dtí sin.
Tá na seanchailleachaí ar fad ag caint faoi *divorce*
Ach is fada ó *divorce* a rugadh é.
Tá an ghlaschloch ag cailleadh a buille.

XXV

"Cén chaoi bhfuil?" a deirim féin.
"Tá sé ina Shamhradh" a deireann Beairtle.
"An-aimsir. . ."
"Níl aon chaill air" a deirim féin.
"Ó! tá sé ina Shamhradh," a deireann Beairtle.
"Tá sé ag glanadh suas
Déanfaidh sé an-tráthnóna."
"Is breá an chaoi a bhfuil tú," a deirim féin.
"Beidh an chré fada go leor os ár gcionn," a deireann Beairtle.
"Beidh, arsa tusa"
Bíodh sé ina Shamhradh gach lá a éireos orainn.
Cuirfidh muid fad leis an amhrán
Is beidh gach ní ar fónamh.
Tá sé ina Shamhradh.
Is cén mhaith dúinn a bheith ag clamhsán.

Gabhaim do phardún, a Bheairtle.
Cuireann tú scéin orm.
Airím míshuaimhneach agus míchompórdach in aice leat . . .
Do shúil a'sméideadh; do cheann a'sméideadh . . .
Ag ceapadh go dtuigimse tú.
Céard is ciall leis an sméideadh seo?
Ceapann tú go bhfuil fhios agamsa céard atá i gceist agat . . .
Ach níl fhios . . .
Ceapann sé go dtuigimse gach aon ní ach ní thuigim faic.
Tá an ceart aige nuair a deireann sé amanta nach dtuigim é —
Beairtle an sméidire.
Cén fáth an sméideadh seo uilig?
Mínigh dom, a Bheairtle.
Níl mé chomh cliste sin.
B'fhearr liom dá labharfá liom.
Thuigfinn níos fearr tú ansin.
Tá an sméideadh seo ar nós a bheith snúcaraithe i gcluiche.
Tá mé mallbhraiteach ach tá cearta agam chomh maith.
Ní chorraím amach ach cúpla uair sa mbliain an dtuigeann tú.
Ní thuigim nósa an sméidire.
Ná bí á dhéanamh sin más é do thoil é.
B'fhearr liom dá labharfá liom.

XXVII

Casaichtín feaigs atá air
Mar tá sé ag caitheamh an oiread sin acu.
Woodbines i dtosach
Agus *Carrolls* anois.
Die Fuchse ist rauchen ...
Níl seó ar bith ach é.
Deich gcinn fhichead sa ló.
Ní choinneodh an diabhal suas leis.
Mharódh sé Bleaic.
Méarachaí buí is creathadh is boladh trom nicitín.
"Mura n-éireoidh tú astu, tá tú réidh" deir an dochtúr leis
Ach tá sé chomh ceanndána ...
Ní féidir é a chomhairleachan.
Casaichtín feaigs atá air.

XXVIII

Is é Beairtle sea'ainne an *bouncer.*
Ó molaim ins gach ceard é.
An neart atá ina lámha
Ní bheadh sé i bhfathach mór.
Níl áit dá mbíonn sé a ghardáil
Ó Theach Bhearna go dtí na Státaí
Nach n-éiríonn leis thar barr ann
Le bladar is le spórt.
Nuair a tharlaíonn ruicstí in aon áit
Is go mbíonn a chúnamh á éileamh.

Bíonn sé i gcónaí réití' le socrú a dhéanamh ann
Is bíonn fuil ar smuit ar 'chaon taobh is mailí gearrtha ina dhéidh sin
Mar ba é Seaimpín uile Éireann é
A' tarraingt téide uair amháin . . .
Sháraigh sé Clann Cháillín is dá ndéarfainn Bullaí Mhártain,
Is bíonn sé i mbun theach Bhearna
Ag bailiú ticéad ag dul isteach.
Bíonn cuma chrua go leor air
Ar nós Cnoic Bheanna Beola,
Is mura n-íocfaidh tú do chuid leis
Ní bhfaighidh tú cead isteach.
Séard deir daoine eolach'
Gur buachaill teann go leor é . . .
Mura ndíolfaidh tú an comhar leis
Gur fearr fanacht uaidh amach.

43

XXIX

Domhan beag ann féin é domhan Bheairtle . . .
Talamh sléibhe, lán eascaí,
Léanta is cnocáin,
Mútaí mar bhábhúin a shonraíonn teorainneacha
Leis na comharsanaí a choinneáil amach.
"Tá an saol chomh hathraithe
Is nach ligfeadh sé don spideog féin
Luí ar a chuid talún anois" a deir an Coileach.
D'éirigh sé dúnárasach le tamall
Is ní foláir dó sin mar d'éireodh an t-áibhirseoir ina mhullach
Dá bhfaigheadh sé an deis air,
Mar seolann sé litir (a)turnae chuige
Am ar bith a mbíonn marach ar bith ar an múta
Nó má théann na beithígh i mbradaíl isteach ar a chuid talún.
Féachaí air is é cromta anuas:
Ag tanaíochan na dturnapaí, na n-oinniún agus na nglasraí eile go
    mall, réidh, cúramach . . .
Ag oibriú an chloiginn ar an gcré.
Áit mhór 'greens' é an áit seo.
Is é a choinníonn glasraí leis an ngealchathair is leis na turasóirí.
Méarachaí meabhracha atá in ann na bplandaí laga a aithneachtáil
    agus a ghlanadh amach
Is ligean don phlanda láidir fás.
An áit lán ceapacha beaga cuimseartha aige.
Sa gcoirnéal sin thall tá meacna dearga.
Sa gcúilín seo tá meacna bána . . .
Cóilis, leitís, gabáiste, fásann siad go rábach.
Piocann sé amach na mionchlocha a phlúchfadh nó a chrandódh fás
Is ligeann sé an t-aer isteach ag na plandaí.
Ní imíonn rud ar bith air — súile firéid . . .
Ní bhreathnóidh sé faoi gcuairt de ná thar a chuid
Ach a shúile dírithe aige ar an iomaire.
Chomh foighdeach le Job.
Tá na héanachaí ag seinm ceoil dó
Is tá na pláinéid ag tabhairt aimsir bhreá uathu.

44

Níor tháinig aon bhliain nós í le cuimhne na bhfear . . .
Trí mhí as a chéile bhí an ghrian ag greadadh anuas ar na Cnocáin
    Bhána.
Rinneadh gualdubh de chroí na talún,
Le créachtaí, scoilteanna is gágaí.
Níor fhan an sú sa seamaide féir.
Thriomaigh na toibreacha ach an Tobar Geal
Is ní raibh mórán uisce riamh sa tobar sin.
Bhí gach ní beo is a theanga bheag amuigh aige leis an tart.
"Tá muintir Chois Locha ag ól a gcuid uisce féin" a deir buachaill
    báire le Beairtle.
D'fhan Scríb oscailte; thriomaigh an mhóin mar baineadh riar
    maith di.
Bhí Beairtle is a leithéidí eile
Ag baint nós néiléaraí . . .
Á caitheamh aníos chomh tréan in Éirinn is a bhí siad in ann.
Thriomaigh sí sa scaradh mar bhí an chriathrach chomh tirim le
    corca.
Baineadh an féar is b'fhurasta é a shábháil.
Bhí Beairtle amuigh gach lá leis an gcarr asail
Ag iarraidh toibreacha nua a aimsiú.
Fear fiontrach le carr lán bairillí,
Isteach is amach go dtí na Cnocáin Bhána.
Na beithígh marbh ag na cleabhair.
An loch triomaí' suas.
Is míorúilt é an múr báistí má thagann sé.
Tá uisce ina ór
Agus is fada an t-aistear é go Tobar an Chollector.
D'aimsigh Beairtle dhá thobar faoi dheireadh leis an gcoll.
An rud iontach faoi ní raibh fhios aige go raibh an bua sin aige ó
    bhroinn
Is d'éirigh leis tar éis go leor tiarála
An t-uisce a thabhairt aníos as broinn na talún
Mar chorraigh an coll.
Is bhreathnaigh siad le hiontas ar na lámha
Lámha máistriúla Mhac Rí Éireann.

45

Gach Domhnach i ndiaidh am lóin
Labhraíonn Beairtle go mórchúiseach faoi amhráin is faoi cheol.
Bíonn a ordógaí sáite go móiréiseach aige i bpócaí na veiste . . .
Is tóigeann sé amach an gramafón.
Bíonn poirtíní béil aige 'Tadhg A Ghrá' is 'Óchon Ó'
Is corrstéibh d'amhrán idir shean is nua
Is míreanna den seanchas luath.
Mar eisean an tseandair más fíor dó féin.
Déanann sé an gramafón a thochras
Is cuireann isteach snáthaid.
Mórthimpeall air tá muirín mhór
Is cluas le héisteacht orthu go léir.
Tógann sé ceirnín as an bpaca
Le cúram na seantaithí.
Na Sméara, an Spailpín Fánach
Foo the Noo nó an Jazz Mad Coon . . .
Ar nós scalán gréine ag scairteadh
Ar chríocha dorcha aineoil
Tagann meanmnaí móra ceoil don líon tí.
Tosaíonn Beairtle ag crónán
Is ag gabháil fhoinn . . .
Maireann an spórt is an gleo go meán oíche.

XXXII

Ceapann go leor daoine
Gur sháigh duine éigin an biorán suain i mBeairtle,
Is gurb shin é atá á fhágáil mar tá sé . . .
Tromchosach, támáilte,
Leisciúil, spadánta.
Shílfeá gur seanlead é
Leis an gcaint a bhíonns air
Is gan ann ach fear óg.
"Níl cuma ná caoi air anois muis"
Deirtear go mbíonn sé mar sin tráthanna den bhliain
Mar thiocfadh neach chuige
Is a sháfadh biorán suain ann,
Nó a chuirfeadh faoi gheasa droma draíochta é
Nó faoi mhórdhíomua na bliana.
Nuair nach maireann an rith maith dó i gcónaí
Bíonn daoine á cheapadh sin
Mar bhí siad ag súil go rachadh sé go Tír na hÓige
Agus gurb é a mharódh an fathach
Ach ní féidir gach duine a shásamh.

XXXIII

Creideann Beairtle a bheith ag ithe is ag gearradh,
Is bíonn sé sách oibrithe faoi, a mhaisce
Mar bíonn sé síorraí ag ól na dí dá bharr . . .
"Nár fhága mé an áit seo go mbeidh scór piontaí ólta agam!" a
    deireann sé,
Is breathnaíonn sé amach go lionndúch
Ar an riasc rua is ar na creagáin dhóite
Is ar na bóithre móra
Nach bhfuil ag dul in áit ar bith dó.
"Bhfuil fhios agat é seo" a deireann sé
"Is gearr eile a sheasfas rud ar bith"
Ar nós draoi a' fáidheadóireacht a bhíonn sé
Is breathnaíonn amach ar lochannaí ar choillte, is ar shléibhte a
    thíre dhúchais
Is ar na Cúlachaí ag éirí aníos ón móinteán.
Bíonn sé leathchaochta leath na gcuarta is ag éagcaoineadh i
    gcónaí . . .
Níl rud ar bith ceart
Níl na barraí ag fás
Níl lao ag an mbó
Níl duilliúr ar chrann
Níl bainne le n-ól
Níl ubh ag an gcearc
Níl gáire ag an óg
Níl misneach ag neach
Tá an mí-ádh ar an teach.

48

XXXIV

Tá an ghráin ag Beairtle ar an saol
Mar dúirt an Portán uair amháin
Go bhfuair sé an jab le fabhar.
Insíonn sé bréaga: an Portán . . .
An smaoiseachán éadmhar
Agus cuireann sé múisiam ar Mhama Bheairtle . . .
Beairtle an Dá Mhama . . .
"Bíodh do chuid fíricí ceart agat
Agus tabhair aire do do ghnaithe"
Ní maith le Beairtle an bhréag.
Ní maith leis an bPortán an fhírinne
Ná ní maith leis Beairtle.
Ní chloisfear mórán faoina ghnaithe féin . . .
"Níl aon chaill air" a deir sé.
Ráiteas tur nach gciallaíonn tada
Is nach ligeann an cat as an mála.
Ach má tá aon drochscéal aige . . .
Ó! Ó! Ó! Beidh caint is comhrá ansin . . .
Nuair atá féith le gearradh
Nó rud éigin le rá faoin teaghlach . . .
Ní theastaíonn ó Bheairtle ach bheith dá mholadh . . .
Is geall le páiste é.
C'est la vie "Mol an óige is tiocfaidh sí" a bhíonn aige
Tá an ghráin ag Beairtle ar an saol.

XXXV

Abair amhrán,
Maith fear . . .
Abair stéibh d'amhrán
As ucht Dé ort,
Déan cheana —
Is tú atá in ann, Bail ó Dhia ort,
Ciúineas anois!
Ciúineas do Bheairtle!
Torm do láimh go windeálfaidh mé thú,
Sin é anois é.
Céard déarfas mé?
Abair 'Ros a' Mhíl'
"Is i Ros a' Mhíl cois cuain tá rún is searc mo chléibh . . ."
Buachaill é Beairtle!
Croch suas é!
Mo chuach thú!
Muisteas moirtéil ort!
Fáinne óir ort!
Go maire tú go ndéana craiceann spíonáin conra duit!
Tugaí seans dó!
Dúnaí a mbéil!
Up Seanamhach! Up Cuas! Ó Thuaidh!
Is aige 'tá an glór breá cinn, Bail ó Dhia air.
Sheasfá sa sneachta ag éisteacht leis.
Grá mo chroí thú . . .
Mo ghairm thú . . .

Bhí an Portán millte ag a Mhamaí
Is lig sé air fhéin go raibh sé beannaí'.
Ach níor mhair an chraic sin i bhfad dó.
Le oideachas saor in aisce
Is jab mór groí ina theannta . . .
An créatúr bocht!
Bíonn sé ag coimhlint le Beairtle
Is bíonn sé ag déanamh gaisce
Go ndearna sé 'Theology' . . .
Ach sciorrann a chuid gaisce de Bheairtle
Ar nós braon báistí de bhuidéal dubh.
Is bhí muid ag léamh sa mbaile
Go rachadh sé go Canterbury
Agus gurb é a mharódh an fathach.
Chaith sé tamall maith ag ligean air fhéin le Mamaí
Ach thréig sé an ghairm faoi dheireadh.
Anois ceapann sé gur cheart do Bheairtle umhlú dó
Mar gur duine ar leith é.
An duine bocht!
Peata Mhamaí!

XXXVII

Músclaíonn na Maoilíní na paisiúin i mBeairtle.
Is nuair a bhíonn sé imithe ón mbaile
Bíonn maolchnoc is maoilín, droim is droimín,
Ag déanamh deibhí scaoilte ina aigne.
Éiríonn a chroí le haoibhneas mar éiríonn an ghaoth ar na Maola,
Is mar scaipeas an ceo ar Sheana Fhraochóg.
Cloiseann sé arís fead naosc is grág cearc fraoigh an tsléibhe
Ar na Maoilíní cuanna caomha
Is bíonn ríméad air dá n-éisteacht.
Caitheann sé séapannaí is éiríonn sé macho
Is buaileann sé cois ar sheanphoirt Chonamara.
Titeann ceo draíochta ina chornaí míne ar an nglaschloch . . .
Músclaíonn na Maoilíní na paisiúin
Is bíogann an croí le mórghrá don bhaile.
Bíonn díonbhrat na Bóirne tríd an gceo
Ar nós dílphóg mná óige dá mhealladh.
Tagann vaidhbeannaí aoibhnis ón tír thiar chuige
Is tig bhéarsaí grá chun a bhéil,
Is nuair a thiteann an codladh céadtach ar a chéadfaí
Bíonn fuadach faoina chroí
Ag brionglóidí faoi na Maoilíní.

XXXVIII

Tá na páipéir dá saighneáil
Is tá Beairtle ag dul anonn.
Le seirbhís áirithe a thabhairt thar toinn.
Le tuilleadh airgid a fháil ar fianas sa Chongó
Is bíonn sé in Elizabethville ar patról.
Ag iarraidh an dá thaobh a choinneáil ó chéile.
Tá sé ar thaobh Lumumba is Nelson Mandela . . .
Is faigheann sé a chuid orduithe ó na Náisiúin Aontaithe.
Chugainn an chontúirt is seans chun gaisce.
Bíonn air dul sa dufair
Leis na treabha a cheansú.
Tá an tír seo chomh mór le dhá Éirinn . . .
Ní thuigeann sé an teanga ná nósa na "natives"
Cuirfidh siad mála dubh air is biorán suain an éaga.
Tá na bóithre aistreánach is gártha fiáine sa bhfásach
Is drumadóirí lámh-bhuailte ag baint cheoil as cláraí . . .
Má chuireann an *mosquito* ga ann gheobhaidh sé *malária*.
Ghoill fulaingt is pianta fáis an ógnáisiúin air
Is rinne sé iarracht an dá thaobh a thabhairt le chéile,
Ach d'ionsaigh na Balubas é amuigh ar an réiteach.
Boghanna agus saigheada na hairm a bhí leo
Ní raibh Beairtle ná a chomrádaí ag feiceáil aon cheo.
Bhí nimh ar na saigheada
Is goineadh Beairtle
Is tá sé san 'spidéal idir bhás is bheatha.

55

XXXIX

Nuair a bhí Beairtle tinn
Bhí sé ag ceapadh
Gurb í an bhean rua
A nocht í féin os a chomhair
Is a rinne eascainí air
Faoi éagóir a dhéanamh uirthi
A d'fhág a intinn buartha.
Ach is gearr ó dúirt sé liom nárbh ea . . .
"Bhfuil aithne agat ar an bhfear sin — Seán Cheaite?"
"Níl," a deirim
"Bhuel sin é an buachaill is ciontaí . . . .
Tá drochintinn aige siúd
Is drochrudaí eile freisin.
Níl aithne a'dsa air
Ach tá aithne mhaith a'msa air.
Seachnaíonn daoine é
I bhfad uainn an anachain."
Pobal ag tlúáil sa dorchadas
Fíoch is éiric is seansíothmálachaí . . .
Ní ghlacann siad i gcónaí leis an míniú eolaíochtúil
Ar aicídeacha agus ar ghalraí . . .
Anseo ag na crosbhóithrí . . .
Is críonna an té a déarfadh . . .
Cá bhfios goidé sin?

XL

"Go dtuga an diabhal go hEochaill é le caoi a bheith air!
Nár théigh an calar thairis!
Bíodh an fheamainn aige is beidh an chladach againn féin!
Téighre i gcurach Sheáin Uí Fhínne
Is fan ann go dtí Dé hAoine!
Nár chuire Dia an t-ádh air!
Scread mhaidne air — an rud salach!
Loscadh air le caoi a bheith air!
Stiall cam air!
Bhfeiceann tú an chuma atá air!
Bhfeiceann tú an leiceann atá air!
An slímeadóir gránna!
An conús caca!
Níl maith ann do dhuine ná do bheithíoch ach dó féin amháin . . .
Ag cur rudaí ina bhealach féin
Is i mbealach a chlainne.
Ná raibh sliocht sleachta ar shliocht a shleachta!" a dúirt Beairtle le
    cuthach
Nuair a chuir an t-áibhirseoir litir (a)turnae chuige arís . . .

57

Shíl mé nach ndéanfadh sé go deo é —
An talamh a thabhairt chun míneachais.
Anois deireann chuile dhuine —
"Nach breá an píosa talún é sin"
Sclagarum a thugtaí ar an áit uair amháin.
Bhí sé thíos faoi na Cnocáin Bhána.
Ceapadh nárbh fhiú a bheith ag trácht air
Mar bhí sé nós cuid den ghealach.
Ní raibh gair ag duine ná ainmhí drannadh leis
Mar bhí sé lán bogaigh is poill bháite.
Ach fairplay dó — cheansaigh Beairtle é.
Lig sé an t-uisce le fána as.
Rinne sé é a dhréineáil is é a shábháil.
Anois is talamh tirim é,
Atá inoibrithe is réidh le barraí a chur ar fáil don pharóiste . . .
Gabáiste, fataí, meacna dearga is meacna bána.
Bulaí fir!

"Bhí mé anseo cheana,
Beidh mé anseo arís, mar deir an giorra . . ."
Nuair a bhreathnaíonn Beairtle amach ar an tír ó Chloch na Cainte
Bíonn sé thuas ar ard
Is lá breá d'fheicfeá Glionnán uaidh.
Tá feiceáil soir aige ar Loch Inse is Trá na gCeann is Bóthar Pheaidí
  ina ribín bán trína portaigh
Is Lochín Pholl na Cloiche mar bheadh faoi dhraíocht sa ngleann.
Seo é domhan dúchais Bheairtle —
An áit is uaigní in Éirinn.
Níl cónaí na mílte ar aon taobh.
Sin é Gleann an Duine Mhairbh ansin thall
Is síneann Bóthar na mBacaigh isteach go Gaillimh
Is ó dheas tá an mainimint don Athair Ó Gríofa.
Tá Cnoc an Champa lámh leis
Is deirtear go bhfuil máistir scoile Bhearna curtha sa gcriathrach
  thuas ag na Ballaí Geala,
Is go bhfeictear é — go bhfuil sé ag cur dhe a chuid peiríochaí.
Ar Chnoc na mBa Bréige ó thuaidh bhíodh damhsaí sa seansaol
  fadó.
Thagadh píobaire amach as Gaillimh ag seinm ann
Is tá an mhóin is fearr le fáil sna Poillíní.

"Bhí mé anseo cheana
Beidh mé anseo arís, mar deir an giorra"

XLIII

Ní mian le Beairtle a bheith ag trácht ar Bheairtle Cois Dubh i gCré
  na Cille.
Coimhlint! b'fhéidir agus drochmheas freisin.
Fear scine a bhí sa mbuachaill sin — scian cois dubh.
Fear eascaine is éithigh.
Bloody Tour an' Ouns é mar scéal!
Thanam ón diabhal é!
Fear gan tabhairt suas air.
Ach fear gaoithe eisean:
'Níor tháinig Beairtle ariamh gan iall a bheith ina shúiste' deirtear
  nó 'tá Beairtle is a shúiste amuigh'
Tagann gála gaoithe leis; stoirm amantaí.
Beairtle na gaoithe a thugtar air.
I Sasana dóitear Beairtle sa bhFómhar
Ar mhaithe leis an bpobal.
'*Burning Bartley*' a thugtar air . . .
Creidtear go n-imíonn an dochar as na barraí is as an talamh dá
  bharr
Is go mbíonn rath is ádh ar an tír dá éis.
Sin iad an mhuintir thall i gcónaí . . .
Ach fainic nach gcuirfidh Beairtle dinglis fós iontu!

"Is sionnach mór é Dia" a deir Beairtle:
Is ní féidir liom breith air.
Tá mé dá thóraíocht
Is ag cur a bhonn
Ó rugadh mé
Ach níl aon fháil air.
Chuartaigh mé na barrthuairiscí
Ós ann a deirtear atá sé
Ach ní raibh scéala ná duan faoi.

Caithfidh mé a admhachtáil, a chairde
Gur liostachas fada an saol
Is go dtuirsíonn sé mé.
Is liodaránach leamh mar scéal é
Is insíonn sé bréaga.
Shíleas go bhféadfainn greim a fháil air
Ach d'imigh sé i nganfhios dom.

Caithfidh mé a rá
Gur minic nach maith leis mé
Is go múineann sé ceachtanna dom.
Ach tá mo thuiscint níos fearr air le gairid
Is b'fhéidir go mbeidh muid an-mhór le chéile ar ball.

Is sionnach mór é Dia
Is tá súil agam nach mbéarfaidh sé fós orm.

XLV

Nuair a thagann na hoícheanta fada airneáin sa ngeimhreadh
Bíonn Beairtle ina shuí i gcathaoir mhór shúgáin in aice na tine.
Tá a chloigeann lán pleanannaí don bhliain nua
Is é lán dlí freisin.
"Caithfidh 'grounds' a bheith le rud" deireann sé
"Féibí cá bhfuair sé an focal 'grounds'
Ní focal é a chloisfeá taobh thiar de Mhuicineach" deir Coileach
    Chlancy.
Amantaí imríonn sé cluiche cártaí leis an oíche a chur thart.
Amantaí eile bíonn a cháimín aige
Agus é ag saibhseáil an phíopa nós seandall glic.
Agus ansin ag roinnt na talún ar a chlann,
Ag tarraingt stríocacha sa luaithe,
Ag ainmniú na bpáirceanna ceann i ndiaidh an chinn eile,
Ag dul i dtreo na matamaitice.
Ach nuair a bhíonn an iúmar ceart air bíonn sé lán
    tomhaiseannaí . . .
Cé'n rud is milse sa siopa?
Cé's faide gob an ghé ná gob an ghandail?
D'ith mé mo dhóthain de ghamhain faoi Shamhain
Is bliain ón Samhain bhí lao ag an ngamhain?

Séard a theastaíonn ó Bheairtle
Duine a chreidfeadh ann.
Is a chreidfeadh san úir thobarach,
Sa talamh chlochach,
Sa bhfarraige mhór,
Atá timpeall ar thír Bheairtle.
Duine a d'inseodh scéalta
Is a chasfadh amhráin na tíre sin.
Duine a chreidfeadh go bhfuil an saol ar nós lín
Is go bhfuil sé lán mogaill
Is go bhfuil mogaill laga ann.
Gur cheart an líne daoine sin,
A cheansaigh cnoc, muir is sliabh le míle bliain,
A choinneáil slán,
A chreidfeadh i dteolaíocht is i dtaithíocht,
Is a bheith in ann gáire a dhéanamh,
Is aoibhneas a bhaint as scread naíonáin.
Toradh na talún a bhlaiseadh sna garrantaí,
Is braon a ól i ndeireadh an lae . . .
Is dóibh sin a ghéilleann sé.

XLVII

De ghlaschloch an oileáin é Beairtle.
Ní fálróid ná spaisteoireacht
Ach obair dhanra é seo a dhéanann sé . . .
Toradh a bhaint as an talamh cnapánach, cnocánach, droimneach,
Achrannach, aimhréiteach, coilgneach, garbh seo,
Lena gcaitear dúthracht,
Lena gcuirtear allas,
Lena mbaineann pian is fulaingt.
Crannmhar tráth;
Níl ann anois ach sceacha is driseachaí,
Is giúsach ina luí go domhain sna portaigh.

"Tarraing a'd! Tarraing a'd!
Bí sa mbaile" a deireann sé.
Tá na sinsir tábhachtach is na páistí
Mar slánaíonn siad an cine.
Ní bhíonn mórán foighde ag Beairtle leo.
Ach forrú, driopás, is deifir an tsaoil air.
"As ucht Dé oraibh is déanaí rud eicínt ceart;
A chloigeann cruacháin, ós tusa é!
Tá sé millte agaibh arís.
Fágaí sin! Fágaí sin!" is téann sé tríothu ar nós Fathach na gCúig
     gCeann . . .
"Leag Dia Lámh ar an áit" deir muintir an Achréidh,
"Is chuir aineamh is marach air"
Ach tá a áilleacht féin aige sin freisin.
"Tús na breithe ag Mac Dé!"
Tréad caorach, mada caorach is banrach aige ar na sléibhte.
Cúite coilgneacha ag glinniúint amach as na háiteacha is na sloinnte
     mórthimpeall.
Connacht, Conamara, Conraoi is Conceanainn
Conchúir, Confhaola, Conaire is Conshnámha.
Ceol mór é seo —
Oghamcheol, éanogham, muirogham, ceartogham . . .
Éisteann na gasúir leis an seanchas ar an teallach ó Mheiriceá is ó
     Shasana.
Lámha gágacha cranraithe,
Eitrí san aghaidh ídithe lioctha,
Dath na gréine is na gaoithe ar a chraiceann.

Ar dhaoine gan déantús maitheasa tosaíonn sé ag eascainí . . .
"Bíonn fonn orm imeacht sna tincéirí leath na gcuarta" deir sé féin
    ag magadh.
Ach seobh é an duine a d'fhan
Is a d'fhág a lorg ar thalamh is ar thrá,
Nár lig a chuid leis an strainséara.
Lena "muise, by dad, ab ea? ag baint lá amach . . .
Cén chaoi bhfuil tú fhéin?
Ag strachailt leis an saol a bhíonns muid"
Mar a shnoífí as an nglaschloch é.
Bliain i ndiaidh bliana
Le comhcheol an lae chrua
Seasann sé an fód.
Coinníonn sé leis.
Anois tá na fataí bainte.
Tá an mhóin sa mbaile.
Tá an féar sábhailte.
Tá na stucaí ceangailte.
Tá dán ar a shaol . . .
Siúd séan air!

A Bheairtle bhoicht is mór an scéal tú.
Tá muid 'do dhiaidh is tá muid do d'éagaoin' . . .
Caoinfidh muid Beairtle is caoinfidh muid é
Agus mura gcaoinfidh muid Beairtle cé chaoinfeas dúinn é.
Beairtle go fada is Beairtle go gearr
Agus Beairtle naoi míle taobh thall den Mhóin Ghearr . . .
Is óró, a Bheairtle, is óró, 'chroí,
Is tá Beairtle ina chodladh
'Gus ní éireoidh sé choíchin . . .
Tá Beairtle sa Sáilín is tá Beairtle i gCuigéal,
I mBaile na hAbhann is thiar i nDoire Né.
Tá Beairtle i nGaillimh is tá Beairtle i mBleá Cliath
Is tá Beairtle naoi míle taobh thiar de Bhleán Rí.
Is óró, a Bheairtle, is óró, 'chroí.
Ach tá Beairtle ina chodladh
'Gus ní éireoidh sé choíchin . . .

Slán leat, a Bheairtle.
Slán leat go fóill.
Síos leat an róidín
Go Tír na nÓg . . .

Slán le laethantaí crua,
Le fíoch is le goimh an Gheimhridh.
Foinse dáin bhí ionat
Is bhí tú ar aistear fada.
Fuadar fút is forrú.
Máistir tú is cara
Chuir cluain ar riasc is ar chriathrach.
Tine thú san oíche
Ag cnádadh léi gan mhairg,
D'fhulaing tú le tamall
Faoi gheasa droma draíochta.
Ach mharaigh tú na fathaigh
Is dhíbir tú na gruagaigh
Is d'imigh uait na púcaí . . .

Fógraím deireadh réime is críoch do chuairte, a chara,
Go bhfillfidh chugainn an tEarrach
Arís ar leiceann léana,
Go ngoirfidh cuach ar chranna
Is go dtiocfaidh taitneamh gréine.

L

Ar feadh an lae go léir tá na siotaí ag bualadh faoi mo theach . . .
Siotaí láidre ag bualadh gach re seal,
Ní siotaí gaoithe móire iad a thagann le stoirm,
Ná siotaí a thagann le toirneach is báisteach na Cincíse.
Ní siotaí feothain iad ach oiread,
Ná siotaí taomannacha na dúluachra.
Is maith is eol dom iad.
Is maith is eol dom cá has a dtagann siad . . .
Siotaí bríomhara; siotaí láidre; siotaí lán inspioráide;
Siotaí a mbíonn an duine i mbrionglóidí ag taisteal iontu;
Siotaí ón bparrthas ina gcónaíonn Beairtle.
"Is iomaí áras i dteach m'Athar", a deir an Fáidh
"Mura mbeadh, d'inseoinn daoibh é"
Cén scéal ag Beairtle?
Ag tabhairt cuireadh dhom imeacht leis atá sé
Is blaiseadh den saoirse iontach atá amuigh ansin . . .
'We are such stuff as dreams are made on, and our little life is
    rounded with a sleep'.
D'fhéadfá a rá gurb ea, a Bheairtle.
Eisean — a saolaíodh i mbothán ar sceird Chonnachtach
Is atá chomh saor leis an ngaoth thuas os a chionn ar an sliabh . . .
Spiorad na Saoirse — ag tabhairt cuireadh dhom . . .
Teara uait ar thóir soitheach na heagna
Chuig áit nach mbeidh brón ná dubha ná bás,
Ná aon ghalar ná cruachás.
Cuirfidh muid aithne ar an bhFírinne agus múinfidh sí eagnaíocht
    agus grá dúinn.
Teara uait go bhfeice tú an sorchas is an suairceas, an gairdeas is an
    gáire,
Is éireoimid arís is cuirfidh muid rud ann don duine.
Teara uait go bhfólaimeoimid faoin naomhdhuan, an naomhghnás,
    an naomhghaoth.
Go réiteoimid na bearta crua . . .
Ar feadh an lae go léir tá na siotaí ag bualadh faoi mo theach . . .